劉福春・李怡 主編

民國文學珍稀文獻集成

第一輯

新詩舊集影印叢編　第13冊

【康白情卷】

草兒(上)

上海：亞東圖書館 1922 年 3 月版

康白情　著

花木蘭文化出版社

國家圖書館出版品預行編目資料

草兒(上)／康白情　著 — 初版 — 新北市：花木蘭文化出版社，
2016〔民 105〕
258 面；19×26 公分
(民國文學珍稀文獻集成．第一輯．新詩舊集影印叢編　第 13 冊)
ISBN：978-986-404-622-5（套書精裝）
831.8　　105002931

ISBN-978-986-404-622-5

民國文學珍稀文獻集成．第一輯．新詩舊集影印叢編（1-50 冊）
第 13 冊

草兒(上)

著　　者　康白情
主　　編　劉福春、李怡
企　　劃　首都師範大學中國詩歌研究中心
　　　　　北京師範大學民國歷史文化與文學研究中心
　　　　　（臺灣）政治大學民國歷史文化與文學研究中心
總 編 輯　杜潔祥
副總編輯　楊嘉樂
編　　輯　許郁翎
出　　版　花木蘭文化出版社
社　　長　高小娟
聯絡地址　235 新北市中和區中安街七二號十三樓
　　　　　電話：02-2923-1455／傳眞：02-2923-1452
網　　址　http://www.huamulan.tw 信箱 hml 810518@gmail.com
印　　刷　普羅文化出版廣告事業
初　　版　2016 年 4 月
定　　價　第一輯 1-50 冊（精裝）新台幣 120,000 元

草兒(上)

康白情 著

康白情(1896-1958)
原名康梓綱，曾用名康洪章，生於四川安嶽。

亞東圖書館(上海)一九二二年三月初版。原書三十二開。

草兒

康白情作

上海
亞東圖書館發行
一九二二

草兒

俞序 自序

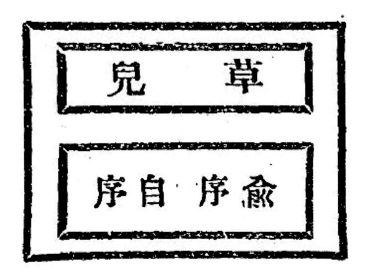

俞序

白情從橫濱來信，囑我為他新彙成底詩集草兒做篇序。我想白情底作品自有他相當的價值，何用我替他鋪張？　我又回想到從前我們倆在北京大學底時候，談論新詩底高興：有時白情念着，我聽着；有時我念着，他也聽着。　這樣談笑的生涯，自然地過去，很迅速地過去。　後來我在歐洲，他還在北京；等我回國，他又去了。　我們倆一年多沒見，我做詩眞寂寞極了；念儘念着，寫儘寫着，總沒有誰來分我詩中底情感。　白情呢，已創造出許多作品，為詩國開許多新疆土，眞是可愛的努力！　成功原分不出你和我的：他底歡喜也就是我底歡喜；一樣。他很遠地來找我做詩序，怕道以爲我會做好文章，還是我底話足以加添他詩底聲價？自然都不是。他既讓我分他底幾分歡喜，我更不好辜負他這番意思。於是我寫這篇短序，一則把我近來底意見，貿之於一年沒見面底白情，二則略盡我介紹草兒到讀者底一點責任。

若要判斷詩底好壞，第一要明白詩底性質，詩人對於一切底態度。從前古典派的詩，早已不消說得：就是新詩底初期，一般人——甚而至於詩人——往往把「平民的」誤會成「通俗的」這個意義；再好一點，也僅僅把新詩底作用當作一種描摹的(representative)。這也因爲幾千年因襲的詩思太不着邊際了，才引起這種反動。但這種傾向究竟不大正當。我在檳榔嶼船上，就說到這點，（見新潮二卷四號通信）。當時雖因爲怱忙沒說痛快，卻是有這個意思。籠統迷離的空氣自然是不妙；不過包含隱曲卻未嘗和這個有同一的意義。一覽無餘的文字，在散文尚且不可，何況於詩？這種矯枉過正的毛病，一半由於時勢，一半也由於對於文學根本觀念底解釋。

說文學是人生底表現批評，依我盲揣，雖沒甚不合也不全合。說文學是一種表現何嘗錯了？但文學是否僅僅一種表現，我很難有積極的回答。文學底作用，與其說是描摹的，不如說是反射的(reflexive)。既不純是主觀，也不純是客觀；是把客觀的實相，從主觀上映射出來。好比照相，雖是外物底影兒，中間卻經過了一重鏡子。文學上底鏡子是一重人性：就是我所說底『人化的自然』。這様說，文學原不僅是表現人生，是在人底個性中間，把物觀世界混合而射出來底產品。

若說文學是一種批評，我更有點懷疑。依我底經驗，文人底態度是『非批評的』——做詩如此，一切文學也可以共通。我深信文學只是一種混融，只是一種綜合，只是一種不生分別。爲甚麼呢？若不能身入其中，儘有好的天才，卻不會有好天才底文學。眞摯和普遍，原非局外旁觀者所能消受的。在硬心人底心裏，物是物，我是我，好像鍊子斷了一個環似的；只有一個冷冰冰的世界，美和愛底根葉都憔悴盡了，一味地冷笑，還有甚麼詩歌文學呢？我重着聲音說：好的文學好的詩，都是把作者底自我和一切物觀界——自然和人生——同化而成的！合攏來，合攏來，才跳出一個活鮮鮮的文學。他後邊所隱着的是整個兒的人性，不是僅有些哲學家科學家分析出來底機械知識。他何能再關心世上對於他自己底態度？白情，你可以爲然？我想你或者說，「是的」！這是我爲白情底集子，對社會上做一種辯解。

白情做詩底精神，還有一點可以介紹給讀者的，就是創造。他明知創造的未必定好，卻始終認定這個方法極爲正當，很敢冒險放開手做去。若這本集子行世，能使這種精神造成一種風氣，那才不失他底意義。做詩只說自己底話，不是鸚哥兒般學嘴學舌，這話平常而且陳腐，但怕不容易眞眞做到罷。我看現在底社會，眞像一個廢染缸，無論那樸雪白鮮紅的新機，都要把他們染成烏黑，似乎不如此不足以顯出社會底力。 如果但取形式，忘了形式後邊底精神，那麼輾轉摹倣，社會上就萬不會有新東西了。 我常常對人說，一切派別主義都是個性自由創造底結果。 說句 paradoxical 的話，可以給我們摹倣的，只是一種特立獨行的精神態度。 除此以外，既不可；摹仿成了也是糟粕。 我們看白情底詩，無論在那一面，都有自我作古不落人後的氣息流露在筆墨裏。 他底作品，我不說是完全好，或者竟不甚好也未可知；我最佩服的是他敢於用勇往的精神，一洗數千年來詩人底頭巾氣，脂粉氣。他不怕人家說他 too mystic 也不怕人家罵他荒謬可憐，他依然興高采烈地直直地去。 「少陵自有連城璧，爭奈微之識碔砆！」 我深怕這本集子出世，在社會上專流行一種新時髦，而沒有一種新精神灌注在裏面，那就冤枉了白情，冤枉了他底詩，冤枉了他印這本集子底意思了。這些話並不是無的放矢。而且在一個流行性的社會裏，更不能不勉放我細弱的聲音，呼醒這沈寂極了的文藝界裏底迷夢。

在這一節裏，我想和讀者商量，在一方面更容易了解白情底詩；或者還可以應用到讀一切的詩。作者固然深知，讀者也亟應知道，這個標點符號和詩底語法調子底關係。這些不但是指示，有時還能改變詩底意思和調子。不懂得標點符號的，一定不能讀好詩。做詩的呢，更不用說。這些實在是文字構造底本身一個重要部分；在詩裏更顯出不可忽的權威。一則因為詩底語法，較散文多變化而不整齊；

或是數底省約重複，或是位底挪移倒置，有時靠着標點符號現出深密而不籠統的意思；且有文字一律，只是標點符號不同，意思便跟着變化，如抹去傍注的一切，作者原意便無從懸揣。　二則音節是詩底一種特性，不為其餘純粹文學所共通；那裏重，那裏輕，那裏連續，那裏頓挫，那裏截斷，那裏延長，都靠着標點符號做引路底燈籠。　若只知一昧平平地讀去，或顛倒輕重地讀去，明明一首好詩，卻要讀得不成腔調了。　雖然無損作者，豈不可惜了讀詩的一個機會麼？

至於思想上底隔閡，卻是沒有法子。　讀者若不和作者底心靈混融相接，雖文字再表現得明晝清確，還不免有不了解的地方。　我們打開一部文學的著作，多少總覺得有些艱深神祕的地方，就是因為這個。　這可以存而不論，因為也不礙草兒底普遍的。

我把這本集子鄭重介紹給讀者諸君，不在作品底本身價值，是在著者可敬愛的精神態度。我希望讀者諸君僅以這個爲一種與奮劑，自己努力去創造！我希望著者僅把這個當作小小的成就，更向前途努力！我希望我和大家都在一條路上，獨立地互趕着，不要挨着自惰，也莫讓他個兒孤另另地在前路！

一九一九年十二月十五日，

兪平伯作于杭州城垣巷。

序 詩

10.

自序

草兒是我去前年間作的新詩集，隨興寫聲，不知所云，在初以爲不妨付印見志，出國後卻已淡了。春天得平伯寄來的序，才不得不編出來，且作了篇很長的自序。詩稿刪掉的很多。半年來思想激變，深不以付印爲然，覺得自序也太不好了。最近知道還沒有出版，且幸稿子雖不必毀，自序還可以改，於是另寫這篇短的。

草兒是去前年間新文化運動裏隨着羣衆的呼聲，是時代的產物。要有功呢，是當時社會的；要有過呢，過去的我不能不負其責。平伯以創造的精神許我，謝不敢當！我

自序

不過翦裁時代的東西，表個人的衝動罷了。

自由吐出心裏的東西，我不是詩人。

小時候先父以詩敎敎我，自問還毫無所得。緝草兒的時候，每想到已不能再承庭訓，心痛不已。謝謝平伯爲他作序。並謝謝古今中外影響我的詩人。

康白情序於加里福尼亞大學，
一九二一年十月五日。

2

草兒目錄:—

草兒:

草兒目錄

2

附錄一——味蔗草

草兒目錄

錄目兒事

草兒

草兒在前，
鞭兒在後。
那喘吁吁的耕牛
正擔着犂鳶，
眙着白眼，
帶水拖泥，
在那裏「一東二冬」地走着。
「呼——呼……」
「牛呵，你不要歎氣，

草兒

快犂快犂，
我把草兒給你。」
「牛吔，快犂快犂。
「呼——呼……」
你還要歎氣，
我把鞭兒抽你。」

牛呵！
人呵！
草兒在前，
鞭兒在後。

一九一九年二月（[illegible]北京）

窗外

窗外的閒月
　緊戀着窗內蜜也似的相思。
相思都惱了，
　她還涎着臉兒在牆上相窺。
回頭月也惱了，
　一抽身兒就沒了。
月倒沒了；
　相思倒覺着捨不得了。

（二月九日，北京）

植樹節雜詩八首

一

從西直門騎驢子到西山，
清溪綠柳間一犛生氣都從晴風裏迎面撲過來，
紅塵裏時時噴出些脂粉氣。
驢子背上底零碎詩卻給他飛跑跑掉了。

二

今年尋不出去年我植底樹了。
明年一定又尋不出今年我植底樹了。
反正我植底樹總在這疋荒山裏。

三

我袋裏一個錢也沒有了，
石蓀卻邀我去逛頤和園。
我問得他有錢，
我便去。

四

頤和園太大。
我們要先逛沒有意思的地方，
然後好地方不由得我們不去。
我們覺憨癡癡地繞着湖先走了二十多里。

五

這麼清的湖水，

正好在玉蝀橋下洗澡呵！

六

風彈着一湖皺縐紋翡翠的明波，
松柏叢裏襯出黃琉璃瓦的房子，
樓臺亭閣把一座富麗的萬壽山都穿戴得滿
了。

這是我第一次讀到底中國式的西洋畫。

七

我們走上萬壽山，
滿山底梅花不住把春意來醉我們，
我們髣髴已作了紅樓夢裏底人物。

八

誰說頤和園不是我們自己的？
我們縱承認私有財產是對的，
難道不記得當年海軍經費六千萬支消在那裏麼？

（四月五日，北京）

車行郊外

好久、不相見了，
又長出了稀稀的幾根青草；
卻還是青的掩不了乾的。
幾處做莊稼的男女
踞的踞着；(一)
走的走着；
挖的挖着；
鏟的鏟着——
正散着在那裏辦他們底草地。
勞碌有些正笑着；

卻遠了也認不清楚。
嗚——嗚，一溜我們就過去了。
他們伸了伸腰，
都眼睁睁地把我們釘着。(二)

(一)踞，音姑；尻不着地而作坐形。
(二)釘，音定。四川方言：凝視叫做釘，有看著出神底意思。

(四月，北京)

草兒

桑園道中

七月九日，我經津浦鐵路往上海。午後熱氣蒸騰，車上實在難受。所幸到了滄州，滿天的陰雲密布起來，一陣陣的颶風冷吹起來，跟着大點大點的「偏東雨」亂打起來。一時秋氣瀰空，脾胃為之開沁。約莫到了桑園底地方，雨就住了；太陽也漸漸地要落坡了。那一種晶瑩清爽的風光，簡直撲人眉宇。這眞是可愛——十分地可愛呵！

甚麼塵垢都被雨洗空了。
甚麼膩煩都被涼掃淨了。
只剩下靈幻的人，
四圍着一塊靈幻的天。
山哪，嵐哪，
雲哪，霞哪，
半山上的烟哪，
裝成了美麗簇新的錦繡一片。
遍地的濃濕，
反映出燦爛的金色；
越顯得他無窮的化力。
溝水不住活活地流着；

鴉兒

淡烟不住在柳條兒邊浮繞；
暮鴉不住斜着肩兒亂飛；
人卻隨着他們——心似流水般地浪轉。
好一個動的世界！
一個活鮮鮮的世界！
天呀！ 你是有意厚我們麼？
是無意厚我們邪？
哦，——遠了。
快不見了。
這樣的自然！
這樣的人生！——
但他倆各走各底道兒，

卻一些兒也不留戀。

石頭和竹子

瑩淨的石頭，
修雅的竹子，
他們在一塊兒：
一般地可愛，分不出甚麼高下。
但有時竹子底秀拔，還勝過石頭底奇峭。

哦，看呀！
拜喲！　拜喲！
竹子都拜到風底脚下了！
不拜的是石頭。

他頭上底細草搖搖吹動，
越顯出他軒昂的氣度。

接着一陣的雨。
歡喜冷落的是石頭；
竹子倒可憐得不像樣了。

翻了晴了。
太陽出來了。
他們彷彿又都抿着嘴笑了。

（七月，上海）

送客黃浦

一

送客黃浦，
我們都攀着纜——風吹着我們底衣裳——
站在沒遮攔的船樓邊上。
黑沉沉的夜色
迷離了山光水暈，就星火也難辨白。
誰放浮鐙？——髣髴是一葉輕舟？
却怎麼不聞橈響？
今夜的黃浦；
明日的九江。

船呀，我知道你不問前途，
儘直奔那逆流的方向！
這中間充滿了別意，
但我們只是初次相見。

二

送客黃浦，
我們都攀着纜——風吹着我們底衣裳——
站在沒遮攔的船樓邊上。
看看涼月麗空，
才顯出淡妝的世界。
我想世界上只有光，
只有花，

只有愛！
我們都談着——
談到日本二十年來底戲劇，
也談到『日本底光，底花，底愛』底須磨子。
我們都相互地看着，
只是壽昌有所思，
他不曾看着我，
也不曾看着別的那一個。
這中間充滿了別意，
但我們只是初次相見。

三

送客黃浦，
我們都攀着纜——風吹着我們底衣裳——
站在沒遮欄的船樓邊上。
四圍底人籟都寂了，
只有她纏綿的孤月
儘照着那碧澄澄的風波
礚着船毗里綳𡒄地響。
我知道人的素心，
水的素心，
月的素心——一樣。
我願水送客行，
月伴我們歸去！

這中間充滿了別意，
但我們只是初次相見。

（七月十八日，上海）

女工之歌

一

我沒穿的，
　工貲可以買穿。
我沒吃的，
　工貲可以買飯。
我沒住的，
　工貲便是房錢。
我再沒氣力，
　他們也給我二角一天。
　　他們惠我，惠我！

二一

我有兒女，
他們替我教育。
我有疾病，
他們給我醫藥。
我有家務，
他們只要求我十點鐘底工作。
我有孕娠，
他們白(一)把我幾塊錢讓我休息。
他們惠我，惠我！

(一)白，有不求報償底意思。

（八月三日，上海）

醉人的荷風

醉人的荷風往來吹勁，織起湖面一閃一閃的縐紋。　嬌豔的荷花半句話兒也沒有，只隨意望着人憨憨地笑。　一個二十四五的婦人，她底姿態是狠婀娜的而她底裝飾卻是很樸素的，獨倚在卐字欄干邊，勞倦正細數蓮瓣上底條紋。　她底怯弱都被對面底荷花給他盡情披露了。

她倘然想起了甚麼；翻眼望了望青天，又低下頭看着碧水。

曲欄下不當風，水卻平靜的沒有了。

草兒

她迴互地默看着水裏，掠了一掠發；看她髣髴不知道有多少心事說不出似的。

欄上過來了我們這些歡笑的少年。 她隨便看了一看我們，自己覺得有些不好意思，就立起身來走動；背地長嘆了一聲，慢慢的出門上船去了。

這裏是三潭印月底背面，她底船繞着這所院子蕩轉來了；船上還有一個十一二歲的姑娘，笑嬉嬉地給她帶着一個笑嬉嬉的小女孩子。 她只是凝望着湖山，一聲兒不響。

這麼大熱的天氣，風揭起她表面的紗衫
，她貼身還穿着一件毛織的襯衣。
她看着我們這些歡笑的少年似乎心裏有
無限的羡慕，但不覺得有半點兒希望。
我們有能說廣東話的和她說話，她也糊亂
答應我們。
我們只知道歡笑，弄一隻野船作玩，不
隄防把水濺了她一身。 她對我們忍不住
一笑，口內露出很白很整齊的牙齒。 但
她底笑容馬上就斂了，頓時現出一個更慘
然的樣子；她的兩道眉兒都鎖得要連攏來
了。 這時醉人的荷風還是往來吹動，織

起湖面一閃一閃的縐紋。嬌豔的荷花半
句話兒也沒有，只隨意留着人憨憨地笑。

（八月，上海）

送曾琦往巴黎

慕韓，我來送你來了！
這細雨沾塵，
正是送客底天氣。
這樣的風波——
我很捨不得你去；
但我並沒有絲毫的意思留你。
你看更險惡的太平洋，
其實再平靜的沒有了！

朦朧的日色

照散了漫江的烟霧。
但我覺得這世界還是黑沈沈的。
慕韓，我願你多帶些光明回來；
也願你多帶些光明出去。

聽喲！
這汽船快就要叫了！
她叫了出來
她就要開去；
我們叫了出來
我們就要做去。
慕韓，你去了？——

我也要去了。

（八月二十五日，上海）

慰孟壽椿（以信爲序）

……你在北京檢察廳底監裏受「優待」，我卻在上海逍遙！假使你和我一道兒走了，那有這一番波折？假使我也不走，必和你共嘗獄中底況味，豈不痛快？無如兩條路都不走！恰才我寫了一篇東西，伏在案上冥想，又想起你了，不覺一陣心酸，淚絲兒只在我眼眶裏旋轉。不過回頭一想，倒不覺又失笑了。我立刻草出這幾句寄給你。不過究竟能不能寄得到？……

那一朵好花不受風折？
那一年底好莊稼不經大雪？
那一個好人不遇些盤根錯節？
我們不入獄，誰入獄？
壽椿，我揩乾眼淚笑了，
你也笑罷！
這正是你！
這正是你底人生價值！

（八月二十五日，上海）

暮登泰山西望

一

白日隱約，暮雲把他遮了：
一半給我們看；
一半留着我們想。
日的情麼？
雲的情邪？

• •

誰遮還落日？
莫是崑崙山底雲麼？
破喲！破喲！

莫斯科的曉破了，
莫要遮了我要看的莫斯科喲！（一）

二

那不是黃河？
那一條白帶似的不是黃河？
你從崑崙山的溝裏來麼？
崑崙山裏底紅葉
想已飽帶着一身秋了。

三

斑斕的石色，
赭綠的草色，
和這紅的，黃的，紫的，藍的，白的，鬆錯

草兒

在一地的山花相繞——人壓在半天裏。
這麽一塊紫細花的破袖！
花草都含愁，
爲着落日，也爲着秋。
我說：『不用愁呵！
天地不老，我們都正在着花呵！

（一）東亞日落，西歐破曉。

（九月二十五日）

84

日觀峯看浴日

東望東海，
鯉魚斑的黑雲裏
橫拖着要白不白的青光一帶。
中懸着一顆明珠兒，
淜空盪漾，
曲折橫斜地來往。
這不要是青島麼？
海上的魚麼？
火車上的燈？汽船上的燈？——還是誰放底
玩意兒麼？

草兒

升了，升了，
明珠兒也不見了。
山下卻現出了村燈——一點——二點——三點。
夜還只到一半麼？
還分明是冷清清的晨風，
分明是呼呼呼地吹着，
分明是帶來的幾句雞聲，
日怎麼還不浮出來喲！
要白不白的青光成了藕色了。
成了茄色了。

86

紅了——赤了——臙脂了。
鯉魚斑的鱗雲
都染成了一片片的紫金甲了。
星星都不知道那裏去了；
卻展開了大大的一張碧玉。
遠遠的淡淡的幾顆平峯
料必是那海陸的交界。
記得村燈明處，
倒不是得幾點村燈，是幾條小河的曲處。
涇津津的小河，
隨意坦着的小河，
蜿蜒的白光——紅光

草兒

髣髴是剛過了幾根蝸牛經過。
山呀，石呀，松呀，
只迷迷濛濛地抹着這莽蒼底密處。

哦，——一個峯邊底雨滴流晶，紅得要燃起來了！
他們都火燌燌地只管洶湧。
他們都髣髴等着甚麼似地只粘着不動。
他們待了一會兒沒有甚麼也就隱過去了。
他們再等也怕不再來了。
哦，來了！
這邊浮起來了！

38

一線——半邊——大半邊。
一個凸凹不定的赤晶盤兒只在一塊青白青白的空中亂閃。
四圍髣髴有些甚麼在波動。
扁呀，圓呀，動盪呀，……
總沒有片刻底停住；
總活潑潑地應着一個活潑潑的人生；
總把他那些關不住了的奇光
瑣瑣碎碎地散在這些山的，石的，松底上面。

（九月二十六日）

再見

越老越紅的紅葉
紅得不能再紅了，
便豈里可囉地落下來了——落了遍地。

越老越紅的紅葉
很高興捲着西風，
便豈里可囉地落下來了——落了遍地。

越老越紅的紅葉
不高興捲着西風，

戀了戀枝，
勞駕也沒有甚麽戀枝，
也豈里可囉地落下來了——落了遍地。

紅葉沒有甚麽；
天卻對着他板起臉子。
紅葉沒有甚麽；
人卻望着他抽着腸子。
紅葉沒奈何，
才抗着嗓子歌起來了。

歌道，——

「我是紅葉。
和我一道兒的是我底天。
天讓我青我就青；
天讓我黃我就黃；
天讓我紅我就紅；
天讓我不要戀枝我就放下我底責任。
但我們還要再見。
我們再見——再見！」

歌聲還沒有終，
歌響還沒有絕，
那還在枝上底紅葉

又豈里可囉地落下來了。

（十一月十六日，北京）

草兒

疑問

一

燕子，
回來了？
你還是去年底那一個麼？

二

花瓣兒在潭裏；
人在鏡裏；
她在我底心裏。
只愁我在不在她底心裏？

三

潺潺琴泉，
聽聽他潺的是甚麽調子？

四

這麽黃的菜花！
這麽快活的蝴蝶！
卻爲甚麽我總這麽——說不出？

五

綠油油的菲畦中，
鋤着幾個藍袖兒的莊稼漢。
知道他們是否也有了這些個疑問？

（十一月，北京）

雪夜過泰安

凝碧的天裏，
沒有纖毫底雲，
卻最薄最薄地蒙上一層白綠的霧。
越到天邊越綠；
越綠越亮；
越亮越糊塗，越看不清楚。
這麼分明一個上弦的月呵！
直把星星都稀得才剩幾點了。
更襯出一塊灰樸灰樸的地。
——雪許是剛才下過的。

哦哦！那黑聳聳的纔不是傲徠山麽？
泰山卻在那裏去了？
越到天邊越綠；
越綠越亮；
越亮越糊塗，越看不清楚。
好疏落的柳條兒呵！
好冷豔的溪溝兒呵！
蒼蒼的山色——
蒼蒼的山色剛要給月托出來，
卻又給雪抹去了。

可憐！

——只有我不眠的人能消受這樣的風光。

但他車軌邊一個掃雪底人，

和我一樣地不眠

卻不知道他能不能有我一樣的消受？

（十二月三日，津浦鐵路車上）

朝氣

窗紙白了。
鏡匣兒亮了。
老頭子也起來了；
小孩子也起來了；
娘們兒也起來了。
好雲霞喲！
好露水喲！

肩的肩鋤頭；
揹的揹背兜；

提的提簍簍——
一夥兒上坡去。

石塊兒也搬開了，
亂草也斬盡了，
所有荒蕪的都開轉來了。
挖上些窩窩，
種下些麥子。

把把的麥花；
蓬蓬的麥子。
看的也有了；

吃的也有了。

（一九二〇年二月四日，津浦鐵路車上）

江南

一

只是雪不大了，
顏色還染得鮮豔。
赭白的山，
油碧的水，
佛頭青的胡豆土。
橋兒擔着；
驢兒趕着；
藍襖兒穿着；
板橋兒給他們過着。

二

赤的是楓葉，
黃的是茨葉，
白成一片的是落葉。
坡下一個綠衣綠帽的郵差
撐着一把綠傘——走着。
坡上踞着一個老婆子，
圍着一塊藍圍腰，
咵咵地吹得柴響。

三

柳樁上拴着兩條大水牛。
茅屋都舖得不現草色了。

草兒

一個很輕巧的老姑娘
端着一個撮箕，
蒙着一張花帕子。
背後十來隻小鷄
都張着些紅嘴，
跟着她，叫着。
顏色還染得鮮豔，
只是雪不大了。

（三月四日，津浦鐵路車上）

54

送許德珩楊樹浦

「打呀！
罷呀！」
呼聲還在耳裏。
但事還沒做完
你又要去了。
但世界上那裏不應該打？
那裏不應該罷？
又何必一處？
暴徒是破壞底娘；
進化是破壞底兒。

要得生兒，
除非自己做娘去！
奮鬥喲！——
努力，加工，永久！

「有征服，
無妥協，」
我們不常說麼？
犧牲的精神；
創造的生命。
哦！你不要跟着；
你但領着；

他們終歸會順着！
奮鬥喲！
努力，加工，永久！

送你一回；
送你一回；
又送你一回。

前門外細膩的月色，
水榭裏明媚的波光，
怎敵得楊樹浦道底悲壯的風雨！
笛呀，輪呀，喧聲呀，
都勞歸在烟幢裏雄着嗓音喝道，

「好呀！別呀！」
楚僧，
前途，珍重！
「楚僧！
楚僧！楚僧！
斯——唪！」

（二月十五日，上海）

乾燥

一

晴着；
風着；
杖兒，壺兒，凳兒倚着。
但他們卻只無情地對着我。

二

鳥歌謳着；
李花開着；
兩兩的蜂兒戀着。
但他們卻只無情地對着我。

三

油菜澆着；

白牛底背上騎着；

綠黃的桑葉兒採着。

但他們卻只無情地對着我。

（二月二十四日，上海）

「不加了！」

淚呀，血呀，
就是這愛底水。
辟人在愛底河上，
用瓢加水，眼巴巴地望着：
「給我一個波喲！」
但加了一瓢，
又加了一瓢，
加了無量數瓢，全不見半點兒波起。
水太薄麼？
河太廣麼？

醉人底不才麼？
但淚也要乾了；
血也要盡了；
醉人勞脇也醒了。
他說：
「不加了！」

（二月二十五日，上海）

阿令配克戲院底悲劇

昨晚上看演自由花，
我帶了一副歡樂的面孔去的，
但一走進劇場裏我便笑不出來了，
勞騷那裏擺滿了神祕的冷酷。
我看着飽帶四千年遺傳文明窈窕的歌女。
聽他們淒清幽怨的歌聲，
只覺得他們底眼裏喉裏藏得有無數微芒的刺。
又看着一羣踏歌的小孩子，
充滿了和平的氣色，

來來往往促促迫迫地高唱獨立歌，
只聽到幾聲
萬歲！ 萬歲！ 萬歲！
我底熱淚便一逕衝撞出來了。
這是一幕慶賀韓國獨立底喜劇。

今天有習習的微風，
風裏夾着絲絲的濕氣，
天色黃黃的，暗暗的，
太陽覗覗覷覷地深躱在密雲裏。
今天是韓國獨立宣言紀念日。

今天阿令配克戲院到了三四百士女。
（在初工部局不許開會的，後來經了多少波折才許了！）
好悲壯呵！
乾坤坎離狘拱玄黄相互的太極圖底國旗飄動了全場底空氣。
韓國臨時政府先給了一篇嚴肅的宣言，
大家便看着升旗，致禮。
昨晚上那些飽帶四千年遺傳文明窈窕的歌女
再唱起他們凄清幽怨的歌聲出來了，
間着韓國清俊的國歌，
只令得滿座都欷欷歔歔地掩泣。

草兒

好悲壯呵！

賓主盡作沈痛的演說，

大家都掩泣得不能仰視，

間着琵安儷沈鬱哀婉的歌聲，

我底淚巾已濕透了。

忽然幾位韓國青年拍案頓足地高嚷了幾聲，

全場底空氣更頓時淒緊，

只聽得嗚嗚噏噏地惟有痛哭了。

好悲壯呵！

上帝呵！

這是你底人生麼？

是你底藝術邪？
令我想起安南；
想起印度；
想起阿非利加；
想起已往六七百年底波蘭；
想起世界上所有供芻狗的民族以至於有色人種。
哦！你莫忘記——
你莫忘記今天
一九二零年三月一日上海阿令配克戲院底悲劇！

(一)Olympic Theatre 在上海靜安寺路和卡德路底角上。

(二)一九一九年三月一日朝鮮人在京城宣言獨立，手持國旗，口呼萬歲。幾日之內，全境響應。日本兵大肆殘虐，老少男女殉難的以萬計。

送劉淸揚往南洋

一

南洋熱喲！
我們從來總談兵，也未免覺得太乾燥了。
天麽，他是我們底花匠！
你此去南洋，
我從他底手裏折下幾朶來送你，
我從我底舌上彈出幾朶來送你，你淸涼麽？
我還願你把你手裏底花，把你舌上底花，到
處也開成些淸涼世界，你不辭麽？

二

南洋熱喲！
熱處底東西不能長到寒處來。
聽說有好些中國底名種，久已在那裏養成了
熱性，
枝也肥，葉也大，
卻是搬了回來就萎了，
——或者大陸上底荆棘更甚麼？
我憐他們，我愛他們，卻是再不願他們搬了
回來了，你讓他們就在那裏紅着。

三

南洋熱喲！
熱處底東西長得很快，不用園丁澆灌的。

但他們底枝儘管肥，葉儘管大，卻被蛛絲絆
住，他們底花總開不旺了。
但他們還是不用澆灌的。
你憐他們，你愛他們，但把絆住他們底蛛絲
去了好了。　他們一沾風露，自己就會開得旺
的。

四

南洋熱喲！
寒處底東西也不能長到熱處去。
你從寒處帶了東西去，是我十分系念的。
我們底花不是我們自己的。
你要殷勤地管領他，不要讓他渴着，不要讓

他吹着，也不要讓他曬着。
清揚，留你開花的多着呢！　你不要輕自把
他蹧踏了！

（三月二十五日，上海）

卅日踏青會

『春又來了！　駘宕的晴光和塵囂氣相亂，鬧得人要死！　不有郊游，怎麽能舒抑鬱？

『聽說這幾天松社裏白梅和紅梅競開，畫眉兒唧唧地望着地上底紅葉說笑，光景十分愛人。　我們特約同好，於三月三十日上午九時，在那裏開卅日踏青會，共賞自然底音樂和圖畫。　我們可以屈你同樂麽？

『看喲！　霞飛路兩旁短牆裏底玉蘭花

草兒

，正張眼等着你呢！(一)

這個小路是一九二零年三月二十八日在上海傳布的。　你知道這裏是怎麼樣一個鬧市！許多久客這裏有心的青年，或給經濟趕來的，或給家庭給來的，或給政府趕來的，或在這裏作工，或在這裏讀書，他們感受春光，更該怎麼樣煩惱！　既得這麼一個消息，於是大家都歡歡喜喜地去了。　就有沒接着帖子的，也趁着那個時候去了。

那天稍微有點陰雨。　因爲高興，被邀的差

不多都到了——男男女女都到了。（男的四十六人，女的二十五人。）他們沒有一個不歡喜的。但他們眉宇間卻仍飽帶着東方的嚴肅。

這是熟梅天氣。不錯，陰雨稍過倒晴起來了。

松社裏有花，有草，有亭，有池，有鳥，有魚，有樹，有石，充滿了活潑的天機。忽然穿插上這麼多活潑的少年，滿園裏底東西更覺得有喜色。大家怕還有不相識的，各人佩上一張絹條兒，標出自己底名字。香風習習地吹着，絹條兒招展，花邊，草邊，亭邊，池邊，鳥邊，魚邊，樹邊，石邊，都有人歡歡喜喜地攀談。

鈴響了。會開了。大家都在草場上團成一個圈兒坐起來。盆花佈滿了人底前後；盆盤又零零亂亂地散擺着盆花。香風習習地吹着，話裏每每雜來些花氣。

跟着我從圈兒外，走進圈兒裏，向着圈兒說：

「我們今天來是踏青，我們在小啓裏已經說盡了

「我們在自然界裏好像一種能動的機械。機械久用必要搽油；不然他就會停滑了。我們所過底機械生活也夠了。我們覺得我們自己也太塵垢了。踏青就是要爲我們底機械搽搽油，就是要洗洗我們底塵垢。

「踏青是古人底濫調。古人踏青要做詩；我們卻只說話，卻只做有趣的玩意兒。古人踏青要飲酒；我們卻只喝茶，卻只吃點心。我們沒有古人那麼多閒工夫；我們不能再用心；我們不忍儘管我們自己作樂；我們不敢蹈襲古人底濫調！

草兒

「我們算很樂了。牆外還有許多焦頭爛額的兄弟姊妹們呢！

「我們刻刻不敢偷安，刻刻不敢忘疾苦。我們想藉這點工夫，商量三個問題：我們底人生應該怎麼樣？我們底社會會要怎麼樣？處在這個社會裏，我們底道兒應該怎麼樣？

「我們聚散無常。廿日踏青會也是我們底因緣。隨便談話，隨便做有趣的玩意兒，願大家各盡所能！隨便喝茶，隨便吃點心，願大家各取所需！」

78

跟着每人五分鐘底演說。起來說話的男男女女共有六七人。最有趣的是彭璜講底湖南到地的土話。跟着自由地攀談。大家都說在口裏，聽在耳裏，印在心裏。
跟着做有趣的玩意兒。有說笑話的。有做畫馬之戲的。有唱歌的。有唱戲曲的。笑聲和掌聲充滿了草場。會裏還有就要出國的；左舜生更拉着我底手謳了一章送客黃浦。

(一)廿日踏青會最初是彭璜君李思安女士邵子暐君周敦祥女士魏璧女士他們幾位發起的，我不過偶逢其盛罷了。 那天到會的爲敵秋魏周鑾王光祈陳寶鍔薛撼岳高鳳岐黃正品周敦祥勞啓榮王德熙王耀琛吳若膺周植生張傳琦宗白華曾琦舉張文亮陳愭王國藩唐友龍張良權賀芳黎澤芬李一龍梅成章伍絳霄沈演掌劉英士鳳勞人謝升庸左舜生曹揚維李思安劉靜君張國基狄侃胡意誠方維夏張國燾張世玄魏璧郭維海張夢九張鳳貞王獨清李宗鄴易禮容沈澤民陳純粹孫鏡亞張聞天毛飛翟蘊玉揚景昭張口口吳達模陳兆蘅黃湘胡上珉淩孟玉蕭子暲蔡瑞容張淑娥陳淡如彭璜李亞先雷懿德雷宏毅譚慕愚唐鈞和我共七十一人。

送王光祈魏嗣鑾往德意志陳寶鍔往法蘭西

好大的雨呵！黃浦底江岸都遮昏了，我們
底衣裳都溼透了。
風也多，浪也多，我們底話卻少了。
歡喲！笑喲！不要讓我們底天地減了顏
色！

你們都是我底老師呵！——一年來底行爲，
讀書，做事，全憑你們底教訓。你們都是我
底老師呵！

我還出不得師，你們不要就不管了。
花開我是要想你們的；花繁我是要想你們的；花落我也是要想你們的。只願你們不要忘卻。

還記得麼？——
蓬廬裏底青燈、一坐就不覺得析襟了，——光祈還記得麼？
「梁山泊底弟兄，不打不親熱」，是在南京路底一個菜館子裏證明的，——時珍還記得麼？
雨從船篷上漏下來，流滿我們底帽頂了，我們還只談着，——劍脩還記得麼？

這些事我都一一地記得。　你們給我說的，
我都一一地記得。
風呀，雨呀，浪呀，還不住地作勢，我們卻
要別了。
我們就別了，好在還在一個天地裏。
我們握手過就別了，卻把愛度在手裏了。
我們底手撤了，只要愛還存留着。

（四月一日，上海）

和平的春裏

遍江北底野色都綠了。
柳也綠了。
麥子也綠了。
細草也綠了。
水也綠了。
鴨尾巴也綠了。
茅屋蓋上也綠了。
窮人底餓眼兒也綠了。
和平的春裏遠燃着幾團野火。

（四月四日，津浦鐵路車上）

婦人

婦人騎一匹黑驢兒，
男子牽一根柳條兒，
遠傍着一個破窰邊底路上走。
小麥都種完了，
驢兒也犂苦了，
大家往外婆家裏去玩玩罷。
驢兒在前，
男子在後。
驢背上還橫着些篾片兒，

草兒

幾片兒上又膠着些綑子。
他們倆底面上都皺着些笑紋。
春風吹了些蜜語到他們底口裏來
又從他們底口裏偷了去了。

前面一條小溪，
驢兒不過去了。
他們都望着笑了一笑。
好，驢兒不騎了；
柳條兒不要了；
男子底鞋兒脫了；
婦人在男子底背上了；

86

驢兒在婦人底手裏了。
男子在前，
驢兒在後。

（四月五日，津浦鐵路車上）

從連山關到祁家堡

一

這裏底山花比銀還要白些。
這裏底山色比黛還要濃些。
又有些開紅花的小樹，從山脚一直匍匐到山頂。
豬呀，羊呀，騾馬呀，也沒有人照料，
只在草地上漫漫地遊着。
白楊也曬得惱了。
開土的也挖得倦了。
他們都選花陰下伏着喝茶，

兩個姑娘卻在旁邊底石上坐着。

二

也有些着葉的樹子，
花卻總是白的。
遠近都掩映着些灰白的茅屋，
都零零落落地矮小得好看。
路旁幾家紅磚的新屋，
高高地撐着些彩畫過的魚幌子。
溝裏拉着兩個襤褸的小孩子，
一個望着路上幾個日本兵底佩刀，
一個望着屋簷下一個晾衣底日本婦人底一雙
雪白的肥手。

三

燕子在土上飛來飛去地。
炊烟從山腰裏冒出來，浮來浮去地。
男子跟着，婦人領着，一個人駕兩條牛，一個人駕兩匹馬，就在那些土裏犂來犂去地。
土邊一所四合頭的瓦房子，
外面三十來個藍衣紅領的小學生，都在那裏「一二三四」，「一二三四」地操着。
蹄下底草花真綠得自在，
卻不知道佩刀的要強做他們底主人了！

(五月一日，南潯鐵路車上)

鴨綠江以東

鴨綠江以東不是殷家底舊土了！
但滔滔的江水還儘管綠着。
江之東是尙白的，
卻也有些種藥的在這裏穿着藍袴兒。
江之西是尙藍的，
卻也有些挑菜的在那裏飄着白帬兒。
甚麼東西江水，可以割斷人間底愛麼？
鴨綠江以東不是殷家底舊土了。
但我也不願她還是他底舊土，

草兒

讓她就是她自己底舊土好了！
好秀麗喲，這些層層疊疊曲曲折折的僻嶂！
還有平平的溪水，就迴繞他們悄悄地流着。
遍山野都是小松；
遍田坎都是青菜；
遍家屋都放着雞豚，
——裝點成了太平的景象。
天之所以助她麽？
還是所以誤她邪？
回望故鄉——
蔚藍的天空遠映着，

甚麽高山大河，都迷在飛架似的白雲裏了。
路遠了，
路遠了，
也聽不出青秧田上底杜鵑聲，
只有這滿山紅着底杜鵑花還提得出幾分鄉味兒。
呀！我最愛你杜鵑花，
愛你底紅，
愛你底紅好像是血染成的！
呀哈！「濺我黃兒千斗血，
染紅世界自由花！」
——朱家郭解底俠風那裏去了？

草兒

但我相信這個還終歸睡在我們底骨子裏的。
但滔滔的江水還儘管綠着。
哦，好兄弟，好姊妹，
你們去照照你們底面孔！

看喲！
去年底稻樁還在田裏。
頂着髻兒底婦人正去井邊汲水。
土裏躬着的壯稼漢兒正把鋤頭兒薅草。
唉！　我可愛的老百姓們，這幾年底收成怎
麽？
上了田租，剩下的怎麽樣了？

你們所希望底子女們讀書得怎麼樣了——我
可愛底老百姓們？

噫！那裏底杜鵑聲？
「還我蜀來！還我蜀來！」
望帝之魂怎麼也飛到這裏來了？
「還我蜀來！還我蜀來！」……
哦，好兄弟，好姊妹，
鴨綠江以東不是殷家底舊土了，
但我也不顧她還是他底舊土。
起喲！起喲！……

（五月一日，南滿鐵路車上）

紫躑躅花之側

一對赤着脚的小兒女，
（至多不過十六七罷，）
撥了滿車底稻梗，
慢慢地走過紫躑躅花之側。
婦人推着；
男子挽着；
曼聲歌着；
嘰嘎嘰嘎的車聲，
淺不克淩，淺不克淩的鳥謳聲，
自然成韻地和着。

藍花的白帕子漾着滿田坎底紫躑躅花。
紫躑躅花有甚麽香，
他們並不覺得。
紫躑躅花有甚麽色，
他們並不覺得。

（五月，東京防新村作）

日光紀游十一首

一

天氣看來倒是很晴的。
北京大學遊日學生團底事算完了。
我們也給東京底都市氣悶苦了。
於是有壽椿，有日葵，有假新，有彥之，有
白情，熟路的老朋友有善徵，
我們一道兒去逛日光去。
我們一火車直坐到日光驛。

二

走路要輕裝，

我們只好吃一個「親子井」。(二)

三

我們第一步過神橋。
這裏是一條半長不長的寬拱橋，
有紅的欄杆，
有綠霞霞的水，
有驚心的浪，
有神秘的光景。

四

我們會走馬觀花；
我們也善觀大略；
我們又髣髴好讀書不求甚解。

不測的雨來了。
我們一溜烟便穿過了東照宮；
一溜烟又走過了二荒山神社；
一溜烟又看完了寶物館。

· ·

東京底櫻花都謝完了。
東照宮還給我們留下了幾樹。
我們覺得這裏底天氣變了。

· ·

一望的長松；
一望的圍牆；
一望的金鏤；

一羣的朱漆殿宇。
士女們都在拜殿裏羅拜。
他們儘管向神龕底下拋錢。
兩廊陳列着些古東西，
幾個漂亮的和尙卻在側邊朝衣朝冠地跪着。
聽說這些都是日本皇家的。
聽說這些殿宇都巳有好幾百年了。
・　・
寶物呵！
國粹呵！
刀劍呵！
宗敎的儀式呵！

野蠻時代留下來底東西呵！
——但幾個守東西賣畫片底女子卻是很時髦的。

五

好雨！好雨！
北白河宮邸哪，
田母澤橋哪，
大久保哪，
清瀧村哪……
我們都來不及看了。
我們再　電車坐到馬返。

六

馬返以上沒有電車了，
我們只得走去。
好雨！好雨！
草鞋套在靴子上；
油紙揹在背上；
顆顆的雨直淋在草帽上。
哈……哈……哈……
好雨！好雨！

・　・

哈……哈……哈……
哈……哈……哈……
一路赤脚的女子笑起過來了。

油紙揹在背上；
「下駄」(三)提在左手上；
洋傘撐在右手上；
顆顆的雨直淋在綉花的紅衫上。
他們看了我們越是忍不住笑了。
我們看了他們也更得了笑的材料了。
哈…哈…哈…哈…
哈…哈…哈…哈…
好雨！好雨！

·　·

過幸橋，
過深澤橋，

我們直溯大谷川底源頭沿上去。
我們不溜在河裏也就是本事了！
哈……哈……哈……哈……
好雨！好雨！

七

好容易上到劍之峯，
我們可要歇息了。
我們便坐在一個茶屋裏吃「菓子」，(三)
細聽般若瀧和方等瀧底狂嘯。

· ·

鄉下底女子要紅些。
日光驛底女子便紅得多了。

這裏底瀧子更紅得可憐。
她不過只有十四歲。
她又賣畫片又給我們斟茶。
她最愛笑。
日葵最愛引她玩。
說，『好紅呢』──
她便笑把她底兩隻手蒙着她底臉兒。
又說她底手，
她又笑把她底兩隻手藏進她底袖兒。

八

天要晚了，
我們不能不快走。

我們便直從幾灣斜路底當中截上去。
我們遠念着日光最高峯，
近只看脚面前底兩三步。
我們上前便上前，
再也不知道有甚麽回顧。
後面是泥滑滑的高山，
周圍塞滿了白濛濛的雲霧，
回顧去可很不好看呵！

・　・

我們一口氣跑過大尻，
天恰晚了。

九

伊藤旅館還很周到的，
我們便住下了。
換衣；
洗澡；
說笑；
喝啤酒；
第一回吃「撒希美」。（四）

十

好冷啊！
第二早晨我們才覺得冷呢。
風帶了雪片吹在我們底臉上。

好一片綠霞霞的中禪寺湖呵！
冷風在太陽光裏颯颯地吹着。
南面陰山的積雪；
北面陽山的櫻花。
半邊白的；
半邊紅綠相間的。
盈供似的上野島遠峙在湖底東面。
好美的，好神奇的中禪寺湖呵！

· ·

沿湖南到歌之濱，
北到再一個二荒山神社，
我們討了些紅葉，

買了幾根櫻杖，
便沒有再往前去了。

十一

雪那樣地白；
雨那樣地潑；
銀河那樣地瀉；
霧那樣地飛騰；
雲烟那樣地縹緲；
海破天崩那樣地駭人；
大鐵鎚打在地上那樣地震動。
疑是中禪寺湖底神龍貪愛陽山上底櫻花吐出
了白涎。

疑是威娜司(五)爲了天下有情人抛下一條長帶
子。(六)
哦，這不是我六七年來所夢想底華嚴瀧麼？
今天到了！
上下了許多的石坎和棧道才到了！
根本解決的少年哲學家藤村操還在這裏麼？
『悠悠天地，
遼遼古今——』
我對了這個也有些失望呢！
萬有之眞，眞就以『不可解』三個字爲注脚
麼？
『不可解』底解決，眞就以這樣爲極致麼？

大谷川底水綠霞霞的，
怎麼竟不答我呵？

• •

華嚴瀧呵！ 華嚴瀧呵！
我不願看你了！
我且把我當做你一樣地直瀉到海裏去！

(一)雞肉和雞蛋混蒸底缽子飯，日本叫做『親子丼』。
(二)『下駄』是日本式的屐。
(三)糖餅之類，日本統叫做『菓子』。
(四)『撒希美』，譯音，是一種鮮魚打生吃的，爲日本最闊的菜品。

(五) Venus

(六)日本盛行死戀底風氣，來投華嚴瀧的甚多。

(七)藤村操，年十八，恨宇宙底疑問不解，投於華嚴瀧而死。臨死，在巖上削開樹皮題道：「悠悠天地，遼遼古今，而以五尺之小而計此大也！婆來肖之哲學，竟何「阿瑣利諦」之足値？萬有之眞，一言而悉，曰，「不可解」而已。恨哉，悶哉，而卒以決於死！且既立乎巖上，而我之心寞然。而後乃今知悲之極之適一於樂之極也！」云云。

(五月二十五日，日本)

歸來大和魂（有序）

由神戶回上海，過長崎登陸，再上春日丸，我眞和日本小別了。既而相去越遠，憑欄迴眺，只見汪洋，追懷日本底美，不勝戀戀，而一念及牠底醜，又不勝可惜之情。記得我在東京帝國大學演說，曾說到大和魂和世界底文化，深惜大和魂之附非其體。於是本這個意思，賦長歌幾章以招之。

大和魂，我底心醉了。

你所備的，大體都給我愛了。

算喲！
孤傲的山，
險絕的水，
炫縵的櫻花，
不是你底靈麼？
儉約的「下駄」，
干淨的蓆子，
忙不了的竹掃把，
不是你底肉麼？
悲壯的歌，

質樸的踊，
沈雄的劍，
有恥的『腹切』，
鹿兒島底戰卒，
贏得死戀底江戶子，
不都是你底兒麼？
哦，大和魂，
我所愛的，大體都給你備了。
只可惜你自己沒有椛兒！
譬如染絲，

你好比白礬；
有了你顏色就亮了。
你卻不問他是甚麼顏色。——
染於蒼就蒼；
染於黃就黃。

譬如釀酒，
你好比麴子；
有了你就醱酵了。
你卻不問他拿去做甚麼。——
飲交杯也用他；
配毒藥也用他。

又譬如機器，
你好比力；
有了你就動了。
你卻不問他做的是甚麼。——
或者縫衣；
或者舂米；
或者榴散彈也是他造的。

哦，大和魂，
只可惜你自己沒有枕兒，
你把道兒走錯了！

你爲甚麼可貴？
不是爲人間而可貴麼？
人間不用神性，
不用獸性。

要你擁一人，
教你愛國；
卻教你不要愛人間。
『四大德』甚麼東西？
不只是奴性罷了麼？
我見你底神性；

見你底獸性；
卻何曾見你底人性！

我最愛的江戶兒，
——不曾尙名譽，尊仁義，扶弱而抑強，以
供人役使爲賤麼？
俠邪，江戶兒！
君子邪，江戶兒！
不也是大和魂底兒麼？
如今，卻怎麼不見了？
不見江戶兒，
所以成其爲貴族官僚軍閥壓平民，而資本家

壓勞働者底日本麼？
所以成其爲愛國而不愛人間，徒見神性獸性
而不見人性底日本麼？
——羞喲！
山孤傲而無脈；
水險絕而能留；
櫻花炫緩而不終……
也是大和魂底靈麼？
日本呀！
不見江戶兒，
我爲你哭了！

草兒

哦，大和魂，
你還在麼？
你把道兒走錯了！

歸來，大和魂！
歸來，大和魂！
守你底靈；
養你底肉；
好好地帶着你底兒．
剗除你底蟊賊；
以你底血洗你底污；
不要作人間底仇而作人間底友！（六月七日，春日丸船上）

幡

夜深了，
人都要睡盡了，
隔艙一陣纏綿的環阿林卻引我上甲板來。
哦，好月呵！
綠銀邊的藍雲塊兒濃抹在天和海底圓線上。
遠近翻起點點的銀波。
四圍底空氣都籠着一層淡青色。
纏綿的環阿林更引我上天，
引我下地，
引我到北京，

引我到南京，
引我到上海，
引我飛過巫山十二峯，
引我走遍了十二萬里。

（六月七日，春日丸船上）

弔福田

記得去年相見，
你只是一個小孩子，
我卻說你是一個老頭子。
我說你——
我底舌下有無限的辛酸。
如今，
你倒不是老頭子了。
你卻走過老頭子底前面去了！

記得今年相別，

我送你上南京，
甚麽話我都想不出說的，
只教你少讀些，多玩玩，少想些，多跳跳。
我看你——
我底眼裏有無限的辛酸。
如今，
你倒不讀了，不想了，
卻是玩也不玩了，跳也不跳了。
記得前一回我回北京，
你和德熙到江邊來攔我，
不知道怎麽沒撞着就過去了。

後來他告訴我，
我心裏更有無限的辛酸。
這一回我又過南京，
我和德熙來看你，
卻只見漆棺五尺擺着了！

記得小時候算命的給我說，
我應在天。
後來讀到西廂，
又覺得天是專以顛倒人間為快的。
後來又讀到進化論，
才知道天只顧着力往前走，甚麼也不問的。

「碻田，你底力怎麼樣呢？
我想起一個誠實的你，
一個伶俐的你，
一個溫文爾雅的你，
一個面帶煩惱的，吹着一枝黑竹兒的簫，
一個老頭子似的小孩子……。
唉！這麼一個物質的世界！
「碻田！我底淚不輕爲少數人掉的，如今
却爲了你了！」

（六月十三日，津浦鐵路車上）

斜陽

斜陽從老柏樹裏透下來
壓在中央公園背後底紅牆上。
牆下底野花也被晚風吹顚了。
他們點上陽光，
更紫金得可愛了。
綠葉子邊底縫裏
盪塡着花花路路的臙脂色。
哦，你穠豔的臙脂色，
我直要和你親嘴了！

（六月十七日，北京）

自得

中夏什剎海底淸晨
是一組複雜的音樂，
是一幅活的畫。
鐵嘴兒飛着嘰哩呱喇地叫。
鵪鶉兒對對地跟着，唧的一聲，又投向蘆葦裏去了。
白的小蝴蝶兒端在空中飄着惹燕子。
柳陰裏露出幾欄遮不住底紅樓，
一根挑子在樓下走着叫白菜。

滿担底綠桃子紅李子在一家屋簷下擱着。
賣東西的卻坐在一塊青石磴上打渴睡。
側邊又有一個斑白的老頭子，一針一針地坐在階級上補他春天底破棉襖。
簷上底老烏呱的一聲，
他舉頭看了一眼湖裏底紅藕。
溝裏有些魚兒跳出水來曬肚皮，
——捲出水紅色的白肚皮——
碧水一井，又振起一個涸兒。
忽然飛來一隻白鷺夾了一尾去了。

荷葉吹了些清香出來。
西山從屋頂上露了些黛暈出來。
白雲在藍空裏隨意浮動。
軍警彈壓處底五色旗飄在紅樓邊底籬棚下浪
着。
隔岸一個打赤膊的，哦嘎哦嘎地推過滿車白
亮亮的冰。……
一組複雜的音樂，
一幅活的畫，
畫在中夏什剎海底清晨裏。

（六月二十二日）

天亮了

天亮了麼？
夜娃子嘎嘎地飛着。
我底夢醒了。
起來；
摸我底箱奩；
收拾我底行李。
月光從亮瓦裏透進來，照在我底幔鈎上。
夜來香隔着我媽底屋子香過來。
媽呀！　我怎麼樣捨得你？
只是你把我錯愛了。

草兒

你怎麼樣不諒諒我底心？
你怎麼樣不想想你當年底自己？
你不曾也誤過麼？
你自己誤了還不足，還要誤你底女兒麼？
或者誰教你取償於你底女兒麼？

村裏底狗叫得好厲害，
雜着窗外窸窸的蟲聲。
我底行李收拾好了。
我底髻兒也挽過了。
月光也斜到粉壁上去了。
天大概要亮了。

184

屋裏都聳着模糊的影兒，
——怕喲！
屋梁上一炸，好像我嫂沒有睡着底嘆聲。
嫂呀！ 只有你知道我底心；
只有我底心知道你知道我。
只是你當初也太隨人擺布了。
從今後誰來慰你？
也誰來慰我？
願你珍重！
願我們都自慰喲！
雞叫了。

草兒

老哇也離枝了。
我底心亂了。
窗上蒙着粉白的顏色，——天就亮了。
去麼？
回到床上去睡麼？
鏡子裏隱着一個作難的我。
抽開門兒看看罷。
東方已挂上了幾片很淡的紅雲。
木槿花底香醉得我好嬾！
卻是他香得怎麼樣自由！
唿，去罷！
梅子樹上底小鳥也戀起來了。

芭蕉底涼露滴在我底頭上。
哦，這是我手栽的，
是伴我讀書底密友！
芭蕉呀！　爲甚麼你總對着我悶悶地？
你惜別麼？
我們今天不別，就終久不別了麼？
我底淚不能軟了我底脚
你不要傷心。
我望着你點點頭，你望着我笑笑。
你好好地長着喲，芭蕉！
你不要傷心，我去了！

（六月二十三日，北京）

題仕女繡幀（爲彭麥氏夫人）

一

只有雪配作麥子底朋友；
只有松配作雪底朋友。

二

稻田裏躧着好些佃打穀子的，
汗滴在水裏簌簌地響，
荷葉底笠也焦得不中用了。
忽然透來幾陣風，
涼得他們穀子都不想打了。
他們謝謝風，

——看出茅簷邊綠蔭蔭的竹子。

三

藥家種底花好幾畝呢。
他底女兒卻最愛菊花。——
清晨簪他；
晌午簪他；
晚上摘下他挑到市上去。

四

一年累到頭底年來了。
年年栽籬笆底梅開了。
快摘下些花來，過個鬧熱年罷。
白的拿給老婆子。

紅的傘給女兒。
開得好的傘去送周家。
開緊了的傘來壁上插瓶子。

（六月二十四日，北京）

晚晴

大風霾過去了。
世界全笑了。
天安門外陡呈滿天地莊嚴的顏色。
紅日從西北角上射過來，
偌大一塊藍玉都給她烤透了。
翠衆五萬人能容底地上斜返出花花路路的紅影子。
紅臉紅手的兵，帶着紅帽子，很嚴肅地在紅影子上排立着。
四圍紅牆黃瓦，紅樓綠瓦，都端端正正地對

草兒

着西北角上底紅日放光。
東長安街花牌坊上卻拖出兩道很長很長的彩
虹，闘接着正陽門上底大城樓。
沿路合歡花底紅冠都給北京電鐙公司烟囪上
底金烟鍍成赤金色了。
哦嘐！世界全笑了！
大風颳過去了！
這些景樣樣都不錯。
上帝送我，
我應該怎麼樣做？(一)

（六月二十七日，北京）

142

（一）當我正在那裏走着，忽得一種感興，想道：『上帝送我，我應該怎麼樣做？』既而頓悟，又想到胡適教授底應該一首裏有這種相類的調子，於是依樣塡足一句『這些景樣樣都不錯。』這是偶然的。其實這種調子萬不可以成風氣。

別北京大學同學

一九二〇年六月下旬，北京大學同學餞別我們於來今雨軒，與會的到六十幾人，都是曾共過患難的。當時百感叢生，我在席上演說，竟至聲淚俱下。七月二日我離北京回家，到車站上送我的又到二十幾人，也以北京大學同學爲多。同車的有兩位軍人，看着大爲感動，竟不惜以心腹告訴我一個生人。車上追念往日的壯劇，中夜不能睡覺，出車憑鐵欄北望，慷慨悲歌。而殘月一灣，更使我添無限的別意。於是追譯來今雨軒底席上演說使成行子，以寫憂思。

諸位兄弟呵！
我們不是同學麼？
我們同學和尋常同學不同，
不是曾共過患難麼？
但是我們底成就怎麼樣？

我往日離家，
家裏底人送我，
我心裏未嘗不難過；

但我只掉頭不顧就去了。
今天你們餞別我，
我卻不能只掉頭不顧就去了。
我喝着葡萄酒只當是血淚！

我們想，
所貴乎做同學的應該怎麼樣？
不是說要互勸道德，互砥學問，互助事業麼？
道德上我們要勉做到完人，
我們於完人自問做到了沒有？
學問上且不說太高深，

我們於自己所學的是否還有媿？
事業上我們還只是學生——
但從去年五四運動以來我們總是曾共過患難
的，
如今我們底成就究竟怎麼樣？
我呢——
更該萬死！
我受同學底厚愛以當全國學友底重託，
而我誠還未足以感人，
學還未足以濟用，
致釀成今日底危局而前功幾於盡棄。
諸位兄弟呵！

或者我們於同學之道大概還有所沒盡麼？

噫！……

但我們底來日長着呢！

我們也不要惋惜過去的，

我們但努力於來日。

我此去至少得待五年後才回國。

諸位兄弟呵！

請以這杯葡萄酒爲壽了！

五年後而我於道德上學問上事業上都沒有很大的長進，我誓不回來見你們；

你們而於道德上學問上事業上都沒有很大的

長進，你們也不要見我！……

廬山紀游三十七首

一

外湖裏底水給夜雨後底涼風滴着。
提上底草吹得只是拜。
兩件單衣都涼透了。
摩托車從新壩上直開到妙智舖，
二十幾里底工夫就到了。
過眼底東西都飛也似地過去，
只覺得滿眼盡是莽蒼蒼的。
莽蒼蒼的之中蜿蜒着幾條紅的道兒。
蓮花洞怕被雲迷了。

山邪？
雲邪？
那裏看得清楚呵？
卻又何必看得清楚呵！

二

無勇莫游山，
我心裏常常地這麼想着。
十八里底山程遠麼？
你自己不作工，還要帝累幾個人跟着你不作工，還要拿錢買些痛給他們，
這個理出在那一部經上？
你底腳帶來幹甚麼的！

草兒

你自己不走，也算你自己遊山麼？
這時我心裏更不斷地還歷間着。
一個提包一枝杖，
更脫下一件罩衣，
飛也似地我就往山上走去了。

· ·

寺哪，菴哪，洞哪，
我也沒有心問他，
只聽着流泉底玲瓏聲，
望白雲底深處上着。
飽我有涼透了的粥；
飲我有激流的泉；

潤我有霢霂的雨。
——我還有甚麼不足呢？
……
究竟他們底担負要重些，
挑担子的也給我趕過了，
抬箱子的也給我趕過了。
我們底衣裳都濕透了。
看看就上到筋竹嶺了。
……
山阿裏流泉打得欽里孔隆地響，
引得我要洗澡底心好動，
我就去洗澡。

石塘上三四家荷蘭式的茅店，風吹得凉悠悠地，
引得我要歇憩底心好勁，
我就去歇憩。
隔座一個挑担子的，
蒲扇不住地扇着，
茶不住地喝着，
周身底汗不住地流着，
眼裏帶着一種驚詫的神光，不住地把我打量着，
引得我要問他底心好勁，
我就問他：

「朋友，好汗呵！
幾顆汗換一個錢呢？」
他望着我笑了一笑，
卻不曾想出甚麼話來答我。

三

筋竹嶺上底路更陡了。
山是層層壘壘的；
路卻螺旋似地迴繞着他們。
仰頭看不上百來級坎子；
埋頭也看不上百來級坎子。
滿地底淙泉；
滿山底酷日；

草兒

好在筋竹兒有風，還平平淡淡地吹着。

• •

夾着路旁的都是筋竹兒，
野草在竹縫裏茸茸地塡着，
也雜得有朱黃的毀花。
最可愛的是崖邊弔着底那一枝，
我便攀下他來簪在帽子上。
經過一根板橋底時候，
一個八九歲的小姑娘很勤快地在那裏洗她底手巾。
我問得她愛他，
便又把他從帽子上取下來給她了。

· ·

哦，雲來了。
四面底山都不見了。
前後底人都不見了。
天陡然陰黯了。
瀑布也不知道在那裏，
卻儘作他駭人的撞聲。
忽然幾陣颶風，
雲從山頂上沈下來，
露出一點——二點底青峯，
紅紅綠綠的——枯嶺已在前面。
山下白濛濛的，——

只怕又在下雨了。

四

山坳上零零碎碎，斷斷續續，上上下下地擺着許多顏色鮮豔的房子——各種西洋式的房子。

黑壓壓的，橫成一杠的卻是中國式的街道。

除了就是綠蔭蔭的草木了。

除了就是綠陰陰的草木裏破開底幾條白的道兒了。

賣蘋菓的，賣沙發的，

賣領帶的，賣牛津大學底書的，

九江和南昌還不容易找的，這裏倒有了。

拖下馱的，
對對往來的，
長裙短袖淺鬆了頭髮的，
九江和南昌還不容易見的，這裏倒多着了。
徽調底歌聲，
三味線底歌聲，
蘇格蘭底歌聲，
春之花底歌聲，
讚美上帝底歌聲，
九江和南昌還不容易聽的，這裏倒處處都是了。
好一個歐化的牯嶺呵！

草兒

● ●

從北山上看轉來，
全嶺在望，
覺得她嬌滴滴越顯紅白，
我所住底大觀樓也格外襯托得好看。
週望九江，
正好給暮色籠住了。
基督教青年會裏消夏底學生，都男男女女，
三三五五地在草徑上遊着。
他們大半都穿着夾衫子，或套着黑的夾背心
。
哦、這不還是七月麼？

160

好一個藝術化的牯嶺呵！

五

晚夜通宵的潤雨，
涼得我這時候才起來，
窗外底炊烟已釀得成了紫金色了。
遠處怕不能去遊了。

・・

花洲有兩葉，
和我同住在一塊兒。
我有甚麽呢，他們卻這樣他喜歡我？
我們一見就如故了。
我們要遊去就一道兒。

我們何不上南山去遊遊去？

六

上山！上山！
一路底白泉；
一路底石橋；
一路底紅房子；
一路綠釉釉的松；
一路朱黃的薇花；
一路底泡桐樹。

泉到了源頭了。

望我；
飲我；
瑩潔的石頭愛我。
——揀他五綵回去送我心念着他的。

七

這麼一個寬坪呵！
再繞上去就是山嶺了。
我們從草徑中走去，
草在我們底脛上拂來拂去地。
露水卻早被朝陽烘去了。
皮鞋踩在潺泉上咕咕咕咕地響。
菖蒲底脚下長着赤芝。

還有沒謝完的杜鵑花還在那裏紅紅黃黃地開着。
還有蛋黃的花蝴蝶兒對對地點着燈籠草。
還有許多的花兒草兒蟲兒說不上名兒的。
還有亂草裏忽看出幾根紫玉簪花。
哦！ 紫玉簪花？
我有好多年不見你了！
記得八九歲時，我底媽曾簪慣了這個的。
媽呀！ 你還有髮可以簪這個麼？
我想摘他兩枝給你寄回來，
又怕他在路上萎了！

八

上到一個凹口了。
挑柴的說，這裏就是含鄱口。
問他鄱陽湖在那裏？
他手向西邊底空裏指着，
口向他底指頭兒上蹻着：
「那裏不是麽？
只可惜全給雲遮了！」
蒸騰的雲呀！
可惜我不能立時把劍揮開你！

・　・

但雲裏似乎還有一個洞望得下去的。
挑柴底朋友，你看那雲洞裏不是麽？

綠的，暗藍的，是原上底秋田。
白的，黃的，赭紅的，不就是湖麼？
但還是看得很模糊的，雲洞竟合起來了。

· ·

登罷！
登在峯上去罷！
雲又露出缺兒了。
有島；
有船；
有大船；
有蜿蜒的小河流入湖裏。
河口髣髴還有兩株大樹。

但還是看得很模糊的，雲缺兒又補起來了。

• •

再登罷！
登在最高的峯上去罷！
雲又大散開了。
這麽大的鄱陽湖，卻花花路路地淤了好些在我們底眼裏。
剛看着底那隻大船才是一個小島呢。
右邊更有一垠長淵，彷彿馬鬣封似的；眞奇得不能再靑了。
雲塊兒拂過底地方點點現黯白的顏色。
但總是看得很模糊的。

但再要不模糊些，或者倒要沒有意思了。

好，謝謝你蒸騰的雲！

我底劍也不好揮你了。

——你把一片鄱陽湖藝術地給我們看了！

九

三上南京，一登牯嶺底夢九，說是為訪蔡蘇娟而去的。

介民也不久才來訪過她。

她覺給人家景慕到這樣麼？

我何妨也去——也去訪訪她？

• •

天已晚了。

好容易從流水聲裏，交叉路裏，樹林影裏，
上上下下的山谷裏，「錦特爾淌」和「奶得」
乃至鄧差底口裏才問得她！
一個「奶得」先開了門來接着我。
待了好久，她才跟着一盞明暗的洋燈走出來
：
慈祥的眼；
和藹的面；
長長的身材；
肥肥的手；
多血的顏色；
親切的丰皮；

草兒

蘊藉的笑；
二十三四底年紀；
黑潤的髮；
青縠的衫和裙；
金線綠邊的袖；
齊整的精神；
有規矩的進退；
形而上的美。

· ·

早知道她是篤信耶穌教的，
寒暄了幾句話，
我就問她起信底因緣。

她說：
「我從前也是不信教的，
而且是不願人家信教的。
後來在南京底一個教會學校裏打「坦尼司，」
在一塊很干淨的板子下揭出一條蛇來，
我就大爲感動了。
我想，
有這樣的事麽？
這麽好看的外面，固也可以藏這麽不好的東
西在裏面麽？
一個人外面再弄得好看些，而可以存一個壞
心，和這個有甚麽分別呢？

我又想，
沒有上帝來統率，
恐怕終給我任情走錯了。
於是不管我底姊妹幾個怎麼樣，我獨於信了敎了。」

・　・

「我是信而不敎的，
——也可以說是信的信而不敎底敎。
我只念着對我要信，
對人要愛；
「草兒在前，
鞭兒在後。」

我正鼓起勇氣在「人的」路上走着呵！
但我要信甚麼，
我要十分明白他；
我要不願人家信甚麼，
我也要十分明白他；
我不能站在人家底棧外，唔說他棧裏底貨底
好壞。
我信耶穌；
但我還不信要上帝呢。」
我儘這麼對她談着。

・・

聽我說我也會讀過擺布爾的，

她就問我眼裏底耶穌怎麼樣？
我說：
『第一，我看耶穌是藝術的。
你看他底一篇演說，
把說道的比了播種的，
把聽道的比了受種的，
把得道的比了收成的，
這那裏是一篇演說？
只是一首詩罷了。
第二，我看他是實用的。
你看他那麼不惜草鞋地走，
不惜口沫地說，

不惜釘在十字架上地做，
就是孔丘墨翟又何嘗過得了他呢？
第三，我看他是人格的。
你看人家有病的捉捉他底衣衿就好了。
你看二百年底十字軍。
你看兩千年來這麼多的信他的。
你看今後還不知道他底流風怎麼樣呢。
這是怎麼樣的感化力——人格的感化力！
我想藝術的和實用的是該要我們兼擅的。
我想要有一個人格的眞和善和美。
只是羞阿！
我雖這麼說着，

這麽想着，
畢竟我底工夫還不到阿！」
他說：
「好呀，
要到這樣的工夫除非信教呀！
譬如燈。」
他便手指着電燈。
「這個燈是不會熄的；
因爲他是仗了一種虛靈不昧的力的，
這個力是沒有盡的。
點油底燈卻不然，
油有盡而他就熄了。

泰山你不曾去過麽？
我曾登在他底頂上，
俯看往來山下底浮雲，
便覺得我底心高潔好像山花，
一切榮利都看在浮雲裏去了。
因爲信教是仗了一種虛靈不昧的力的，
這種力是沒有盡的。
好呀！
要到這樣的工夫除非信教呀！」
「是的，
教，
我一定要明白他，

我一定要社會學地明白他。」
我這麽回答着她，
風吹得窗櫺可可地動，
茶都冷得有些噤齒了。

· ·

後來我又問了她些廬山底事。
後來她又問了我些北京大學男女合校底事。
後來她又許我送我的書。
後來我又許她介紹她和我底朋友研究宗教學底江紹原通信。
後來我要走了，
她才打發一個提燈籠的送我回去了。

黑簇簇的夜；
冷颼颼的風；
斷續的蛩聲；
明滅的燈籠；
高聳聳的兩個人影。
我一路想着「素手擲青霜，羅衣曳紫烟」底李騰空，
一路躊躇地走着。
好容易從「錦特爾滿」和「奶得」乃至鄧巻還在走底道裏，上上下下的山谷裏，樹林影裏，交叉路裏，流水聲裏，再回到我底大觀樓！

只有這藝術化的牯嶺配住藝術化的她；
只有藝術化的她配住這藝術化的牯嶺。

十

十日晴；
偕雨棠，
束輕裝，
請挑子，
褁麵包，
帶牛奶，
漫游去。

十一

上山！上山！

一路底白泉；
一路底石橋；
一路紅房子；
一路綠釉釉的松；
一路朱黃的薔花；
一路底泡桐樹。
這條路正是我們昨天走過的。

・・

泉到了源頭了。
又上到我們昨天走過底寬坪了。
又看見我們昨天登過底高峯了。
聽說寬坪就是當年陳友諒底練兵處。

聽說高峯就是不知道多少年前底女兒城。

聽說那些髣髴有條理的大石頭就是古代的壁壘。

聽說這尼山不知道曾經過多少回底鬧熱呢！

哦，山靈呀！

你大概愛鬧熱麼？

我可不忍聽這樣的鬧熱呵！

惟願人們永久不再看這樣的鬧熱！

••

好晴呵！

半點兒雲渣滓也沒有。

又走到我們昨天來過底含鄱口了。

眞箇鄱陽湖會梳粧！
昨天的雲鬟蓬鬆；
今天的滿頭珠翠。
昨天的眉目含愁；
今天的毫髮可數。
昨天的離魂倩女；
今天的新嫁娘。
鄱陽湖眞箇會梳粧，
三面都擺着這麼長這麼寬的大鏡子！

十二

尖山底草綫裏漸漸地吐雲了。
雲給我們作幡：

我們依着含鄱嶺底山路斜下去。

。　。

還邊山，
泉底源頭又出來了。
他卻只在一片亂草根子裏慢響着。
泉給我們奏樂，
我們底脚給他作拍子。

十三

剪茅做底屋；
砌石做底壁；
釘板子做底門扉。
牆外有一架兩架，兩架三架底臙脂花和扁豆

花。
牆下開着斗大十來窩黃葵。
衣服散晒在牆頭底竹竿上。
吠生客的有狗。
避生客的有帶着一羣小雛底鵝雞母。
詫生客的有一個十五六歲藍衫大銀耳環眉目間飽蓄着山嶽清秀氣底好姑娘。
前後左右滿土底馬鈴薯開着紫花，隨風吹了些香過來。

* *

這是尖山凹口下底幾處山家。
他們底屋裏沒有主人。

草兒

我們便隨便端了一條長板凳來坐着。
他們底男子勞髹是打樵的。
詑生客的那位好姑娘卻走過山滯上去了。
-石磴上跪着一個藍衫紅褲的少奶奶正在那瑽
瑽的清流裏漂白線。
我儘這麼想着，
假使世界上沒有了強盜，
我們不該和他們一樣麼？
我又想着，
早晨發黃花底嫩莢而晚上飧他底嫩葉。
這是怎麼樣地劄眼！
最後我又想着，

我們更大家這麼商量着，
不知道他們究竟還上不上田租？

十四

快晌午了，
走到五老峯底肘下了。
遠遠看出燬殘了的月宮院。
滿路一溜的筋竹兒，
我們尋着路撥開竹枝走。
遠近竹林裏大小的鳥兒競唱他們底山歌。
忽聽一聲驚人的「兒儘睡起」，
我記起八九歲時兄弟姊妹們相玩底事了！
阿爺常起得晚，

草兒

我們早起便聽着「兒倢睡起」底鳥聲，
弟弟爱用口笛去學他。
我們總怕他擾了阿爺底清睡，
我們總勸他不要學。
阿爺呀！
如今隔了十四五年
我還能在幾千里外重聽「兒倢睡起」底鳥
我們相別七八年
你竟長睡不起了！

十五

一座荒涼的古廟，

燒剩下些石梁還在庭前穩穩地架着，
這就是月宮院。
有桃子，
有梨子，
有胡桃，
有瓜架，
有玉蜀黍，
有芭蕉，
有紅萵苣菜。
廟裏供的觀世音菩薩，
住持一個三十來歲當過兵來的和尙。
他說他曾轉戰幾千里；

他只不願說他當年的戰事。
他眼裏底殺氣已經消磨得盡了。
他把很粗很大的瓦壺各斟一椀本山土產的雲霧茶給我們。

十六

走過五老峯下不上五老峯，
我們不如當初就不來好了！
我們不知道從那條路上去，
竟給挑子引得要到三疊泉了。
我說：
回去！
折回去！

折回去登五老峯去！
我們便從舊路走回來；
孩子卻讓他等在月宮院。

・・

我們心想着五老峯，
脚跟着樵路走。
山溪裏底大魚也不久看了。
沿路經過底花草也不放在眼裏了。
我們猛然竟把前後的道兒走迷了。
哦！我們走迷了！

・・

我們不認得五老峯；

但我們相信她總在這疋大山裏。
我們登到這疋山底最高處總不能不找着她。
我們登罷！
——但還他底最高處登罷！

十七

荊棘哪，蔓草哪，
漫山遍野都是，
竟令我們沒有地方插足。
我們更姑息不得他們。
我們便忍心把亂杖撥倒了他們。
但我們終究有些不忍。
——我們竟不上了罷！

・　・

哦，不行！
退回去也沒有歸路了！
但問第一個到五老峯是怎麽樣去的？
他不比我們還更要艱難麽？
我們但當作第一個到五老峯去的好了！
我們登罷！
——但還他底最高處登罷！

・　・

蕁麻刺了我底脚，
我一顧恤他，
他們已走了好遠了。

竹枝又剩了.我底手,
我再一顧恤他,
他們更走了好遠了。
唵!還有甚麽值得顧恤的?
你顧恤他,
他就不阻你底前路麽?
你不顧恤他,
他就眞足以危及你底根本麽?
走喲!
遁喲!
你所要底五老峯馬上就要到手了!

十八

好，杖也撥軟了；
靴子也踏爛了。
路更錯了；
人更餓了。
坐在一個磐石上且休息。

・　・

牛奶以醬麵包；
澑泉以冲牛奶；
白玉簪花底梗以攪澑泉。
翠晶瑩的盃以邀五老，
並問他們承露盤裏底東西究竟比這個何如？

十九

逆泉流而上；
踩石磴而上；
攀葛藤而上；
左左右右選角度稍鈍之處而上。
手脚全創了；
衣服全髒了；
好容易爬到山上了。
花了兩三點鐘底工夫畢竟爬到山上了。
（愛情是痛苦換來的。）

二十

山腰是紫玉簪花雜着白玉簪花。
山頂卻全是朱黃的蘐花。

遠近有幾根老而不長的小松樹，
山石這麽大一塊一塊地，亘着全山底脈絡故
枕藉立着。
山外撑着萬丈懸崖直令我們不敢俯視他。
夾谷裏大小長短的說話聲突然和答着：
「哦，山靈呵！」
「哦，山靈呵！」
「哦，莽斯特兒！」
「哦，、莽斯特兒！」
「哦，你可以和我做朋友麽？」
「哦，你可以和我做朋友麽？」
「哦，你要小心！

你底地位很高了，
恐防跌下去！」
「哦，你要小心！
你底地位很高了，
恐防跌下去！」
「……………」
・　・
哦，雲來了。
他從石縫裏吹了出來了。
他從草根裏吹了出來了。
他把我們繞着了。
他鑽進我們底單衣裏挨來絲絲的涼氣。

我嗅嗅他沒有味兒。
我輕輕地捧了兩掬餐在我底熱肚裏。
我又吐了出去摩蕩他。
我想把他收做無盡藏的棉絮，散給世界上無衣的。

・　・

哦，他又從夾谷裏騰了上來了。
近山都騰滿了。
我們相隔五六尺都不能相見了。
哦，雲呀！　雲呀！
請你騰我上天，
我不願再回去！

二十一

哦，好駭人呵！

我們登到五老峯底極頂了！

陰風忽忽地颾着。

滿耳隔山瀑布禁不住雷也似地吼着。

從崖邊跌下去一定會落到好幾十里！

崖間開着一大樹朱紅的顆粒花，說不上甚麽名兒。

崖下拳大的幾所大院子，周圍都繞着竹子。

菜園裏一個針孔大的白褂藍袴的做莊稼的在那裏摘青菜。

遠近幾條白亮亮的山溪蜿蜒着流入雲裏。

昨天所見右邊一垠長洲，髣髴馬鬣封似的，
眞青得不能再青了的，不要就是南康麼？
但他底背上又塗着幾點南昌道上底豬血泥。
鄱陽湖底一隻角卻隱約現在長洲外。
可惜四圍底遠處都給雲迷了。

· ·

哦，雲開了。
山下萬里的大太陽。
鄱陽湖七百里底全景蕩在我們底眼底。
湖裏黃白黃白的水——往來的帆船都數得清。
平原上亂着起伏的丘陵。

遠望無極的揚子江直像風嫋嫋地拖着一條長
銀帶。
西望見武漢。
東望見九江。
城郭如豆的是南康一帶底州縣。
北望黃雲瀰漫的竟髣髴是蒙古底沙漠，
湖上有兩圓傘蓋似的厚黑雲，
大概沿湖底州縣要下驟雨了。
哦，只請我們自己不要旱死了！
——我們還能重來麼？
・・
哦，雲又來了。

他一抹便把所有的東西都封了。
要下雨了。
我們趕快回去罷。——
我底日葵！
我底壽椿！
可惜你們不來呵！

二十二

好雨好雨！
渾身的衣服都溼透了。
鞋子踩在濕草上咭咕咭咕地。
遠近的山鳥都笑我們說：
「泥滑滑！

泥滑滑！
行不得也哥哥！」
但我們已經陷在背水陣裏了！
我們趕快下去罷。
我們逐着泉流下去。
我們踩着石磴下去。
我們攀着葛藤下去。
我們更從沒有路的山坎上跳下去。

．．

我們不在月宮院裏換衣服，
要用脈管裏底熱血一綫一綫地把他們烘乾！

二十三

震動五老峯底瀑布聲才出在這裏呵！
走了七八里底兩路卻到了圍山澗底土梁上了。
三叠泉髣彿掛着三鋪白珠簾似的，
活活活地只在東邊的山腰裏亂吼。
西邊凹凹凸凸的九叠屏着上了雨裝，
直像孔雀張開了翠翎子。
兩疋山從一條很深的夾溝裏用圍山澗底土梁連起來；
土梁仄得竟像一條綫。
——世界上也有這樣的奇景麼？

走過圌山洞便是東方寺。
一個帶髮修行的齋婆開了門來接着我們。
她穿着和尙領的衣，
下襟都破成捲箒了。
我竟暴認她做日本人。
我們到一家小店裏去喝燒酒，
吃乾魚，
回頭再來用她給我們炊底紅米飯。

二十四

萬丈崖不知道量來有多少丈？
崖邊可以再看三叠泉。
但他最低最長的一叠卻給崖嘴遮住了。

滿山的子松。
我們儘攀着子松癡看三叠泉底上兩叠。

· ·

滿山的子松。
子松上長着靑的，赤的，橤橤的松子。
摘他一大把回去，寄他心念着我的：
她寄一顆；
他寄一顆；
他和她和他都各寄一顆。

· ·

滿山的子松。
我們儘攀着子松癡看三叠泉底上兩叠。

挑子卻忙脚忙手地走着：
「快走喲！
快走喲！」
天晚了！
山貓就要出來了！
天晚了！」
他口裏更不住地這麼唸着。

二十五

天眞要晚了。
夕陽拼命把她底臙脂色來媚人。
湖光也紅了。
雲影也紅了。

豬血泥的土更紅了。
白衣白帽以至於人面都紅了。
子松上底翠卻更翠得可愛。
哦，你穠豔的臙脂色，
中央公園裏底臙脂色，
我直要和你親嘴底臙脂色，
不想你又尋我到這裏來了！

· ·

天眞已晚了。
我們恰走到平地了。
再去五里就是土橋街了。
滿天的星星亂着往來的螢火。

稻田和四圍底山色都黑成一片。
我們走過一座白石橋，
蛙啊，流水啊，
秧雞啊，草蟲啊，
都在黑成一片的稻田和四圍底山色裏啁啾，
好像一羣瞎子在奏樂。

二十六

一口氣走到土橋街，
街上底老小都來看我們。
我們宿在一家沒有招牌的飯舖裏。
我們全知道他們底話；
但他們竟說他們不全知道我們底話。

·　·

老老板娘少老板娘都很賢惠的。
他們給我們溫湯；
給我們炊飯；
給我們煑豆腐；
讓了他們自己有帳子底床來給我們歇。
我看他們手上生滿了蚊瘖，
知道他們底帳子有破孔。
都是最難得的是少老板娘胸前兩個圓滿的大奶。
她眞是幸福呵！
她竟毫沒有染着都市氣！

哦，祝福你少老板娘！
祝福你康健！
祝福你發兩個又白又胖的小孩子！

二十七

十一日晴。
脫靴子；
換草鞋；
再上山；
蟬聲泉聲又遠遠地來迎我們了。

二十八

三里走到海會寺，
是一座領有崇山峻嶺茂林脩竹底古廟。

有幾個和尙在唸經；
有幾個和尙在種菜；
有幾個和尙出來接着客。

・　・

有白蓮花。
有紅繡球花。
有三層樓上底鄱陽湖。
有淸淨。
有唐朝傳下來底老契紙。
有特別使我感動底字畫。
我約智明方丈要寄兩幅西洋畫送他。

・　・

他把曾超上人血書華嚴經給我們看，
我給他糊裏糊塗地寫了些東西。
我約他三十年後再到這裏來。

二十九

白雲在天上往來。
太陽毫不假借地曬着。
兩岸直而且高的松樹夾着。
鳥聲和蟬聲競奏，彷彿聽出當年的絃歌聲。
溪水潺潺地迴流，清亮得令人直想跳下去，
我幾番直想跳下去！
遠遠萬綠叢中攔出一道紅牆壁，
我們知道白鹿洞就在眼前了。

可憐的清流呵！
我眞捨不得你！
我們不忍直進白鹿書院去。
我們且過獨對亭；
且在石橋欄干上坐着看水；
且拋石子閒打橋下黃荊叢裏底白合花；
且從枕流邊跳下溪裏去洗澡。

我們越洗澡越樂了；
我們越洗澡越熵了；
我們越洗澡越不忍起來了。

草兒

煑蛋以爲餚；
清流以爲酒；
石關底高潭以爲杯。
我們舉頂至踵地全投在酒杯裏。
我們醉了便在枕流底斜石上睡着。
我們越洗澡越樂了；
我們越洗澡越嬾了；
我們越洗澡越不忍起來了。

· ·

我們越洗澡越樂了；
我們越洗澡越嬾了；
我們越洗澡越不忍起來了。

我在枕流底斜石上睡着。
我想曾點畢竟算狂得愛人，他獨志在浴乎沂，風乎舞雩，詠而歸。
我想仲尼畢竟也算是內行，只不知道他遊舞雩也曾在那裏嘗試過沒有？
我想考亭應該至少總在我這裏洗澡過的。
我們越洗澡越樂了；
我們越洗澡越嬾了；
我們越洗澡越不忍起來了。

・　・

右岸山坎上還托着一座奎星閣，
我們已沒有心還上去看他。

白鹿書院已成了江西農業專門學校白鹿洞演習林事務所，
是一所經過兵燹荒涼的大院子。
院後剩着白鹿洞，
是一個立方一丈多的小石洞
圓頂以象天；
方趾以象地；
規模粗具的一個石鹿卻立在洞裏。
院裏剩着玉蟾眞人草書白鹿洞歌底石刻。
正殿裏剩着石刻吳道子畫仲尼底遺像。

三十

十五里走到南康。

城是圮了的；
街是朽了的；
街房上底死多半都是破碎得不忍看了的。
家裏底狗逐出門來吠生客。
老鷹撲下街邊底案上來攫肉吃，就是小孩子也得要戒嚴他。
婦人正作上海十年以前底時髦。
街上底老小都帶着一種慹詑的瞓光來打量我們。
鄱陽湖底水從小西門浸進城裏來，
收牛的便騎在牛背上趕着許多的牛在水裏來往。

通城沒有照像的。
通城沒有有蚊帳底客棧。

五十一

鎖家湖裏盪舟。
山影迴鎖似地環繞在湖面。
瞑色帶來些模糊塗在黛暈上。
鯉魚斑的紅霞映在湖面織成絲絲的皺縐紋、
波紋由紅而橙黃了，
由橙黃而綠了，
由綠而油碧了，
由油碧而藍了，
由藍而黑了。

天守着晚了。
乘晚攀登落星島，
有橫直千來丈底荒地，
有黃荊花，
有鐵芭茅花，
有茸茸阻人底瘦草。
回望南康沿湖底漁火襯着城裏幾點明暗的燈光。
滿天的星子照着槳聲送我們回去。

三十二

我覺得修到中國底山水眞幸福！
他們底主人竟肯這麼樣放任他們！

有這麼多的寺院竟沒有設學校。
有這麼大的瀑布竟沒有安發電機。
有這麼富的礦產竟沒有人開採。
有這麼遠這麼高的重巒叠嶂竟沒有培植過森林。
他們底主人竟肯這麼樣不騷擾他們！

三十五

只怕不能趁路回九江，
我們恰等到天亮就起來了。
我們要到馬迴嶺去趕上火車。
• •
出西門，

渡西湖，
過西觀，
越棒恕橋，
趁一帆風順罷了。

・　・

哦，前天我們親自麼過底五老峯，不正插在
右山底雲裏麼？
左山巍巍然矗立，直插天外，白雲鎖着他底
峯頂，不就是漢陽峯麼？
漢陽峯底右肘下，兩個尖峯並立着，不就是
雙劍峯麼？
再其下青翠欲滴，圓潤如饅頭的，不就是秀

峯麼？

馬尾泉瀰瀰地白着。

瀑布泉卻怒掀掀地從秀峯底萬丈懸崖上插下來，勞號在十幾里外底湖裏都聽着濤吼。

秀峯寺夾在兩條瀑布底中間，隱隱現出一叢黃綠黃綠的竹子。

竹林上面山腰裏，從葱蒨裏冒出兩道炊烟，勞號又是一所大古刹，不就是黃巖寺麼？

白雲一縷一縷地在半山上島出橫綫。

哦！　好豔麗的朝陽，好蒼翠的山，好綠的水呵！

三十四

曾經華嚴瀧雖爲瀑布，
今年五月裏我游日光已經寫過了。
我是這麽樣寫的：
「雪那樣地白；
雨那樣地濺；
銀河那樣地瀉；
霧那樣地飛騰；
雲烟那樣地縹緲；
海破天崩那樣地駭人；
大鐵槌打在地上那樣地震動。
疑是中禪寺湖底神龍貪愛陽山上底櫻花吐出
了白涎！

疑是威娜司為了天下有情人拋出一條長帶子
─」

曾經華嚴瀧難為瀑布，
今年五月裏我游日光已經寫過了。
我是這麼樣寫的。

• •

我們走到秀峯寺遠看瀑布泉。
我們更走到龍潭去飲他。
她隔我們還有六七里，
但我們沒有工夫再逼攏去了。
我也沒有能力把她比寫華嚴瀧更寫得好那麽
寫出來

但是——
看喲！
鄱陽湖七百里底全景盡當在她底眼底？
這是怎麼樣地宏麗！
泉從崖腹上瀉下來，
這是怎麼樣地奇橫！
香鑪峯上底鐵搭緊對着泉口，彷彿一腳可以
跨過去似的，
這又是怎麼樣地警策！
哈哈！李白看她做一幅畫，
我卻要讀她做一篇八股文了！
但是——

我不知道山上也有一塊湖沒有？

三十五

我們繞着廬山底脚向東去。
我們儘跟白色的道兒走着。
我們儘餐廬山底秀色。
但她似乎已給大太陽晒萎了。
我們覺得她不似早晨的媚了。
我們更覺得她渴得要死了。
走過萬頃底稻田，
熱風騰騰地烘着。
右邊一所圍牆繞着底大古廟，
峯上承着一座插入雲裏底鐵塔，

聽說這裏是歸宗。
忽然田角裏扇出一股黃荆風，
飽滲着水荆芥的茶味兒，
我們頓覺得廬山又張開笑靨了。

三十六

十里走到陰口山。
走了五里還有二十里；
走了十里還有十六里；
走了十五里還有十二里；
走了二十里還有八里；
這二十里眞長呵！
越陌又度阡，

草兒

沿嶺又翻山，
遠遠還望不見馬迴嶺。

·　·

一條寬溪攔住了。
沒有橋；
沒有溜子；
也沒有跳磴子。
我們只得脫下靴子，
紮上褲子，
赤着脚涉過去。

·　·

這麽好的路呵！

春秋時代底好路呵！
我想寫他出來只怕沒有人來了；
我想不寫他出來又怕他竟自不修了。
（別的路也何嘗不是這麽的？）
眞教我底筆左右爲難呵！

三十七

我底廬山呀！
多謝你底好風景！
請你放心，
我已趕上馬迴嶺底火車搭回九江了。
我又到外湖裏來看你來了。
你可能撐下你底臂到烟水亭邊來和我握握

乎？

縹緲的廬山只不答應我。

白雲淡淡地揺着。

縹緲的廬山，眞難看出她底眞面目呵！

白雲漸漸地濃了。

我眞慚愧，

我竟還認不眞她。

白雲呀！

吐你出來的是五老峯麽？

秀峯麽？
牯牛嶺邪？
‥
一閃便成了金世界了！
西望金紅的一長片正閃着金光，
上面包着藍黑的雲，
再散開淺藍的雲，
再散開瀰望淡綠的天。
湖波也起起落落地閃着顆顆零零碎碎的金光。
迴望廬山，只現着一顆峯頭了。
她已擁擁腫腫地着上了紫金袍了。

草兒

世界上所有的東西都罷上了紫金色。

（七月八日至十二日）